Interminablement.

Quand il n'avait personne à qui parler,
il parlait tout seul.

– Bonjour, monsieur Bavard, disait-il.
– Bonjour, répondait-il.
– Quel beau temps !
– Oh oui, beau temps pour la saison.

Et patati et patata...
Il habitait dans un charmant village.

Sa maison ne ressemblait pas du tout à un moulin.

Pourtant, les gens du village l'appelaient
« Moulin à paroles ».

Tu devines pourquoi ?
Un matin, le facteur apporta une lettre
à monsieur Bavard.

– Bien le bonjour, dit le facteur.
– Ah ! monsieur le facteur, répondit monsieur Bavard,
moi aussi je vous souhaite une bonne journée,
mais comme je le disais pas plus tard qu'hier,
ou avant-hier, je ne sais plus, enfin, peu importe,
comme je le disais donc,
nous avons de belles journées cette année,
mais peut-être que je me trompe, en tout cas, lundi,
ou plutôt mardi, oui c'est ça, mardi,
il faisait un temps vraiment magnifique,
vous vous en souvenez...

Et patati et patata...

Il était midi
quand le pauvre facteur put enfin continuer sa tournée.
Au début de l'après-midi,
monsieur Bavard s'en alla
chez le marchand de chapeaux.

– Bonjour, monsieur Bonnet, dit-il au chapelier.
Voyez-vous, je voudrais vous demander si vous pensez
qu'il serait possible,
si ce n'est pas trop cher,
mais bien entendu je vous fais confiance,
de me faire faire un nouveau chapeau, sur mesures,
parce que, c'est bien simple,
le chapeau que j'ai sur la tête est, comment dirais-je,
un peu démodé, enfin pas vraiment, mais voyez-vous,
je l'ai depuis, attendez que je calcule,
depuis dix ans, mais non, suis-je bête...

Et patati et patata...
Quand le marchand put enfin placer un mot
(et même plusieurs tant qu'il y était),
il promit de commander un chapeau
pour monsieur Bavard
et il prit ses mesures.

Puis il poussa monsieur Bavard
(qui parlait toujours) vers la porte,
ferma son magasin et rentra chez lui pour le dîner,
qui était froid parce que madame Bonnet avait fini
de le préparer depuis des heures.

Et, pendant son dîner, monsieur Bonnet réfléchit...
Une semaine après,
le chapeau de monsieur Bavard arriva par la poste.

Le facteur le porta à monsieur Bonnet,
dans une jolie boîte rouge.

– Enfin ! dit le chapelier.
Nous serons bientôt délivrés des bavardages
de monsieur Bavard.
– Ça serait trop beau, dit le facteur.
Comment voulez-vous
qu'un chapeau l'empêche de parler ?
– Mais c'est un chapeau magique,
répondit le chapelier.
– Ah ! fit le facteur,
qui n'avait pas très bien compris cette explication.

Le jour même, monsieur Bonnet en personne
livra le chapeau à monsieur Bavard.

– Oh ! merci, dit monsieur Bavard, eh bien, voyez-vous,
c'est curieux, mais j'étais sûr,
ou comment dirais-je, j'avais l'impression,
je ne sais pas pourquoi, comment vous expliquer ?
je savais que ce chapeau arriverait aujourd'hui
et vous voilà avec mon chapeau ! Que je suis content !
J'espère qu'il me va !
– Eh bien, essayez-le ! dit monsieur Bonnet.

– Mais bien sûr, dit monsieur Bavard,
je vais l'essayer, suis-je bête, je parle,
je parle et j'oublie d'essayer mon chapeau neuf,
qui est si joli et...
Tout en parlant, monsieur Bavard sortit le chapeau
de la boîte et le posa sur sa tête.

C'était un beau chapeau.
– Ah oui, dit monsieur Bavard,
je dois dire que ce chapeau est, comment dirais-je ?
mais oui, certainement,
c'est l'un des plus beaux chapeaux
que j'aie jamais vus et pourtant,
j'en ai vu des chapeaux et...

Tandis que monsieur Bavard parlait,
il se passait de drôles de choses.

Plus monsieur Bavard parlait,
et plus le chapeau grossissait.
Monsieur Bavard continua à parler
et le chapeau continua à grossir.

– Je n'y vois plus rien! s'écria monsieur Bavard.
C'est curieux, je voyais bien et tout à coup, soudain, oui, comme ça...

A présent, le chapeau recouvrait monsieur Bavard de la tête aux pieds.

Monsieur Bavard s'arrêta de parler.
Dès que monsieur Bavard s'arrêta de parler, le chapeau commença à rétrécir, rétrécir, jusqu'à retrouver sa taille normale.

Pendant ce temps, monsieur Bonnet s'était éclipsé.

Il retourna dans son magasin,
tout content de son chapeau magique.
Le lendemain, monsieur Bavard mit
son nouveau chapeau pour aller se promener.

Il rencontra le facteur.

– Ah, monsieur le facteur, dit-il,
je voudrais vous demander ce que vous pensez
de mon chapeau, mais je crois avoir compris
que vous le trouvez joli, et même que...

Tu devines ce qui se passait
pendant que monsieur Bavard parlait...
Le chapeau grossissait à vue d'œil.

– C'était donc ça, le chapeau magique !
murmura le facteur.
Et il continua sa tournée.

Monsieur Bavard était devenu aveugle... et muet.
– Hum... pensa-t-il.

Il pensa, mais il ne dit rien.
Et voilà comment le chapeau guérit monsieur Bavard
de son terrible défaut.

Car chaque fois qu'il parlait,
il était obligé de s'arrêter
au bout d'une minute ou deux.

Et il finit par s'y habituer.

Tu ne crois pas que monsieur Bonnet mérite...
Un coup de chapeau ?